# 니콜라스 니클비

글 찰스 디킨스 | 그림 루도빅 살레 | 옮김 윤영

스푼북

# 골든 스퀘어

구불구불 이어진 초록 언덕과 해변이 있는 마을 데본, 그곳의 작은 오두막에 니클비 가족이 살고 있었어.

니클비 씨, 니클비 부인, 딸인 케이트, 아들인 니콜라스 니클비가 니클비 가족이었지.

니콜라스와 케이트는 시골에서 행복한 어린 시절을 보냈어. 그들에겐 매일 아침이 기분 좋은 여름날 같았지. 그곳은 밖에서 놀아도 너무 춥지 않고, 불가에서 책을 읽어도 너무 덥지 않은 곳이었어. 아무리 생각해 봐도 데본보다 살기 좋은 곳은 없는 것 같았지.

그들의 삼촌, 랄프 니클비는 아빠와는 많이 달랐어. 그는 결혼을 하지 않아서 아이도 없고, 친구도 없었거든. 그는 그렇게 사는 게 좋다고 했어.

랄프는 런던 한가운데에 있는 골든 스퀘어의 멋진 집에 살았단다. 다른 부자들과 마찬가지로 그 역시 세상 무엇보다 돈을 좋아했지. 랄프는 돈을 모으고, 돈을 세고, 무엇보다 돈을 버는 걸 좋아했어. 그래서 먹고살기 힘든 사람들에게 엄청난 돈을 빌려주고는 억지로 많은 이자를 붙여 갚게 했어. 그는 사람들이 빌려 간 돈을 못 갚겠다고 털어놓는 순간을 남몰래 기다렸지. 그래야 빌려 간 돈 대신 그들의 집과 사업을 빼앗을 수 있었으니까.

안타깝게도 니콜라스와 케이트가 겨우 십대일 때, 그들의 아버지가 세상을 떠났어. 엎친 데 덮친 격으로 그들에게 남겨진 돈은 단 한 푼도 없었지. 결국 니클비 부인과 아이들은 런던으로 이사를 가기로 마음먹었단다.

니클비 부인은 랄프에게 도와달라고 편지를 보냈어. 그래도 가족이니까 당연히 도와줄 거라 믿었거든. 하지만 부인의 생각은 틀렸어.

랄프에겐 뉴먼 노그스라는 조수가 있었어. 뉴먼은 따뜻한 마음을 가진 좋은 사람이었지.

어느 날 뉴먼이 랄프 니클비의 사무실 문을 두드렸어.

"들어와요."

안에서 우렁찬 목소리가 들렸어. 뉴먼은 화려하게 조각된 출입구를 통과해 안으로 들어갔어.

"편지가 왔어요."

뉴먼이 말했어. 랄프는 책상에 구부정하게 앉아 서류 작업을 하고 있었지. 뉴먼은 안타까운 표정으로 니클비 부인의 편지를 내밀었어. 까만 테두리의 편지 봉투는 까만 밀랍으로 꼭 붙어 있었어. 이건 누군가의 죽음을 알리는

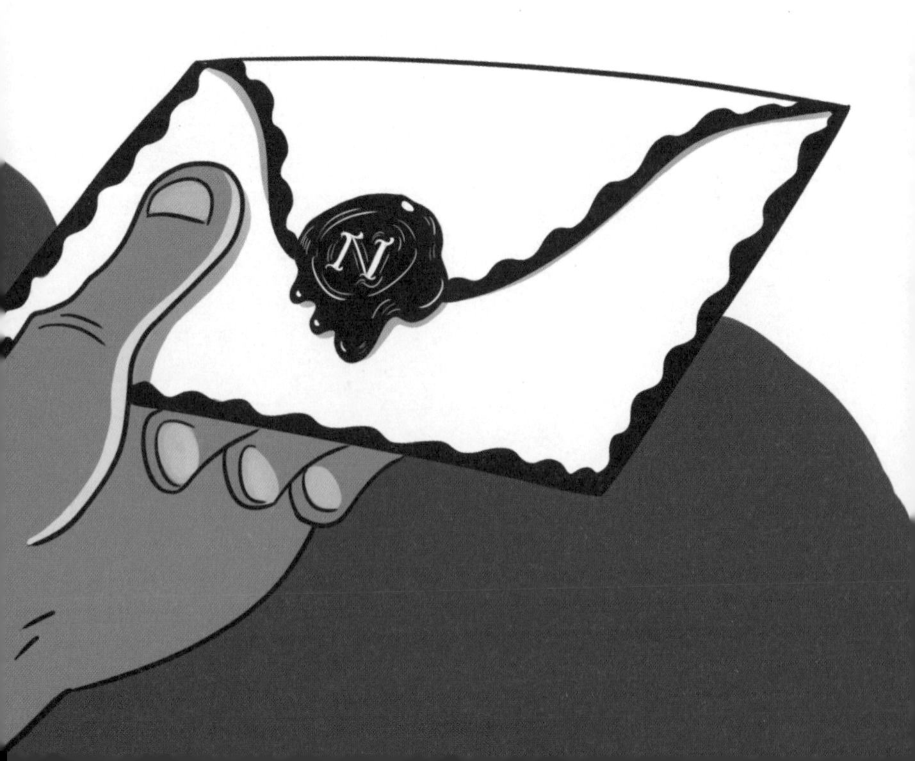

편지라는 뜻이었지.

랄프는 봉투에 적힌 글씨체를 보고 누가 보낸 편지인지 알아챘어.

“뉴먼, 그런 슬픈 표정 지을 필요 없어. 난 내 동생이 죽었다 해도 놀라거나 겁먹지 않을 거야.”

“랄프 씨가 놀랄까 봐 걱정한 게 아니에요.”

뉴먼이 조용히 말했어.

“아니라고?”

“랄프 씨는 절대 놀라는 법이 없잖아요.”

랄프 니클비는 봉투를 낚아채더니 겉을 찢어서 편지지를 꺼냈어.

“동생이 죽었군. 맙소사! 이렇게 갑작스럽게 떠나다니.”

랄프는 일부러 속상한 척을 했어. 뉴먼은 한숨을 쉬었지. 그는 랄프의 연기에 속지 않았거든.

“그에게 아이들이 있나요?”

뉴먼이 물었어.

"그럼, 아이들도 있고 아내도 있지. 그리고 그들은 모두 런던에 있어. 어찌나 성가신지."

랄프가 대답했어.

마침내 랄프 니클비는 집이 떠나가라 한숨을 쉬며 골든 스퀘어의 집을 나섰어. 그리고 니클비 부인이 니콜라스, 케이트와 함께 살고 있는 작은 집을 찾아갔단다.

그는 동생의 아내인 니클비 부인을 보고도 별로 반갑지 않았어. 조카인 케이트와 니콜라스를 보고도 별로 기쁘지 않았지.

사실 랄프는 자기 앞에 있는 세 사람 중에 니콜라스를 제일 마음에 들어 하지 않았어. 이 젊은 청년에게서 동생의 모습이 보여서 그랬나 봐.

"정말 다들 남부끄러운 모습이군."

랄프는 작게 중얼거렸어. 그리고 고개를 들어 제대로 된 인사도 없이 니콜라스에게 이렇게 물었지.

"무슨 일이라도 해 봤어? 돈 벌어 본 적 있냐 이 말이야."

"없어요."

니콜라스가 대답했어.

"내 그럴 줄 알았다! 역시 내 동생은 자기 아이들을 이렇게나 게으르게 키웠군."

랄프의 무례한 말에 니클비 부인은 기분이 상했어. 사랑하는 남편의 죽음도 새삼 실감이 났지. 결국 니클비 부인은 울기 시작했어. 케이트는 아무 말도 하지 못하고 가만히 있었고. 하지만 니콜라스는 삼촌에게 슬슬 화가 났어.

"일할 생각은 있는 거야?"

랄프가 물었어.

"당연하죠."

"그럼 여길 봐라."

랄프는 코트 주머니에서 신문을 꺼냈어. 그리고 거기 실린 광고를 가리켰지.

랄프 니클비가 말했어.

"일자리를 찾고 있다면 여기 있어. 학생들을 가르치는 일이지."

"하지만 5파운드는 너무 적어요. 요크셔는 너무 멀기도 하고요."

케이트가 끼어들었어.

"쉿, 조용히 해. 케이트, 얘야. 이런 건 너희 삼촌이 제일 잘 아신다."

니클비 부인이 말했어.

"제가 요크셔에 가면 저희 어머니랑 동생은 어떻게 되나요?"

니콜라스가 물었어.

"내가 보도록 하지."

랄프는 까칠하게 대답했어. 그리고 목을 가다듬더니 다시 말했지.

"내가 돌보겠다는 뜻이야."

그리고 갑자기 너무나 상냥한 목소리로 덧붙였어.

"물론 네가 일을 하러 갈 경우에만."

니콜라스는 그러겠다고 대답하고 삼촌과 함께 화이트 홀스 여관으로 갔어. 그리고 거기서 왝포드 스퀴어스를 만났어.

스퀴어스 씨는 키가 작고 동글동글하게 생긴 사람이었어. 하지만 한쪽 얼굴에 화상을 입은 상처가 있어서 썩 보기 좋진 않았지. 지금까지 보았던 선생님이나 교장의 모습과는 사뭇 달랐다고나 할까. 그 사람 옆에는 슬퍼 보이는 소년이 두어 명 있었는데, 모두 두더보이즈 홀의 신입생이라고 했어.

화이트
홀스 여관

스퀴어스 씨는 그들을 데리고 런던에서 요크셔로 갈 예정이라고 했지.

랄프 니클비와 스퀴어스 씨는 이미 서로 아는 사이 같았어. 두 사람은 서로를 보며 고개를 끄덕거리더니 여관 구석으로 걸어갔어. 그리고 쑥덕쑥덕 대화를 나누다가 자리로 돌아왔어.

“두더보이즈 홀에 일자리를 주겠네.”

스퀴어스 씨가 걸걸한 목소리로 말했어.

여관을 빠져나오며 니콜라스가 삼촌에게 말했어.

“일자리를 구해 주셔서 감사해요. 이 친절은 절대 잊지 않을게요.”

“그래, 절대 잊지 마라. 마차는 내일 아침 8시

에 요크셔로 떠날 거다. 늦지 않게 오도록 해."

랄프는 니콜라스에게 종이 뭉치를 내밀었어.

"그리고 이걸 우리 집에 가져다 놓아라. 처리해야 할 일이 좀 있어."

니콜라스는 삼촌이 시키는 대로 했어.

니콜라스가 골든 스퀘어에 있는 삼촌 집에 들어서자 뉴먼 노그스가 맞아 주었단다. 뉴먼은 랄프의 조카를 보고 깜짝 놀랐어. 니콜라스가 두더보이즈 홀에 가서 일하게 되었다며 '이런 기회를 줘서 너무 고맙다'고 하자 더더욱 놀랐지.

"두더보이즈 홀이라고?"

뉴먼이 빨간 코를 문지르며 물었어.

"그리고 거기서 일하게 되어 니클비 씨에게 감사하다고? 어허, 이런, 이런."

그는 한숨을 쉬며 니콜라스의 어깨를 두드렸어.

뉴먼 노그스가 니콜라스를 불쌍하게 여기는 게 아닐까 착각할 정도였지.

# 두더보이즈 홀

다음 날 아침 화이트 홀스 여관 앞에 온 니클비 부인과 케이트는 니콜라스에게 작별 인사를 했어. 랄프 니클비도 같이 나와 있었지만, 아쉬운 마음 따위는 전혀 표현하지 않았지.

이윽고 스퀴어스 씨가 슬픈 표정의 소년들과 나타났어. 소년들은 학교 신입생보다는 감옥에 끌려가는 죄수들 같았지. 스퀴어스 씨는 그 아이들을 스놀리 형제라고 소개했어.

니콜라스가 마차에 타려고 할 때 누가 다리를 잡아당겼어. 뉴먼 노그스였지. 그는 니콜라스의 손에 편지를 쥐여 주었어.

"이게 뭐죠?"

니콜라스가 물었어.

"쉿."

뉴먼 노그스는 랄프 니클비를 가리키며 말했어.

"삼촌이 듣겠다. 그냥 가지고 있다가 나중에 읽어 보렴."

당황한 니콜라스는 코트 주머니에 편지를 집어넣고 가족들에게 손을 흔들었어.

런던에서 요크셔에 있는 두더보이즈 홀까지는 너무 춥고 긴 여정이었어. 니콜라스와 불쌍한 스놀리 형제는 줄곧 마차 위에서 덜덜 떨었지. 그들은 바람과 눈을 피해 서로 붙어 앉았어.

스퀴어스 씨는 마차 안에 타고 있었어. 마차 위 자리보다 요금이 훨씬 비싼 자리였어.

마침내 그들은 요크셔 황무지에 있는 칙칙한 건물 앞에 도착했어. 니콜라스, 스퀴어스 씨, 그리고 스놀리 형제는 마차에서 내려, 왔던 길을 돌아가는 마차를 바라보았어.

"여기가 두더보이즈 홀인가요?"

니콜라스가 물었어.

스퀴어스 씨가 웃음을 터트렸어.

"'홀'이라는 말을 붙이는 게 멋있는 것 같아

서 런던에선 그렇게 불렀지. 자기 집을 홀이라 부르든, 궁전이라 부르든 상관없잖아? 법에 어긋나는 것도 아니고 말이야."

스퀴어스 씨는 지팡이로 닫혀 있는 나무 대문을 툭툭 때렸어. 그러자 몇 분 후 절름거리는 사내아이가 나타나 문을 열어 주었어.

"이름이 스마이크던가?"

스퀴어스 씨가 물었어.

"네, 맞습니다."

절름발이 소년이 대답했어.

"여기까지 오는 데 왜 그렇게 오래 걸렸지?"

"아, 불가에서 잠시 잠이 들었습니다."

"불? 누가 불을 피웠어? 어디에?"

"부엌에서요."

스퀴어스 씨는 발끈 화를 냈어. 그리고 들고 있던 지팡이로 스마이크를 세 대나 때렸어. 소년은 비명을 지르면서도 꼼짝도 하지 못했지. 니콜라스는 말없이 한 줄기 눈물을 흘렸어. 이렇게 잔인한 모습은 본 적이 없었거든.

그들은 다 같이 칙칙해 보이는 건물 쪽으로

걸음을 옮겼어.

이 일을 시작으로 두더보이즈 홀에서의 우울한 나날이 시작되었단다. 니콜라스는 이곳이 정말로 형편없는 곳이라는 걸 금방 깨달았어.

이 학교엔 학생이 서른 명 정도 있었어. 그들은 누더기 같은 옷을 입고 변변치 않은 음식을 먹었고 제대로 교육도 받지 못했지. 그들은 스퀴어스 씨를 너무너무 무서워했어. 그 사람이 늘 아이들을 겁주고, 때로는 마구 때렸으니까.

불쌍한 이 아이들은 스놀리 형제와 마찬가지로 부모가 집에서 내쫓은 아이들이었어. 더 이상 집에서 키우고 싶지 않았던 거지. 두더보이즈에 아이들을 보내는 건 세상 밖으로 떠나보내는 것과 같았어. 런던과 단절되어 있는 아주 먼 곳으로 아이들을 보내 놓고는 아예 아이가 없는 척했겠지.

이곳엔 스퀴어스 부인도 있었어. 부인은 남편보다 더 나빴단다. 매일 아침 스퀴어스 부인은 아이들의 입맛을 떨어트리기 위해 쓴 약을 한 숟가락씩 먹였어. 그래야 밥을 많이 먹지 않을 테니까.

니콜라스는 할 수만 있다면 당장 이곳을 나오고 싶었어. 하지만 자기가 두더보이즈에서 일을 하지 않으면 랄프 삼촌이 어머니와 여동생을 더 이상 돌보지 않겠다고 한 게 마음에 걸렸지. 니콜라스는 가족들을 실망시킬 수 없었어.

어느 추운 저녁, 니콜라스는 불가에 쪼그리고 앉아 있다가 뉴먼 노그스가 코트 주머니에 넣어 주었던 편지를 발견했어.

니콜라스는 편지를 읽기 시작했지.

편지에는 니콜라스에게 혹시나 런던에 묵을 곳이 필요하면 자기를 찾아오라고 적혀 있었어. 그리고 자기 집 주소도 알려 주었지. 그곳은 골든 스퀘어 근처 실버 스트리트에 있는 단칸방이었어.

니콜라스는 두더보이즈 홀에 도착한 이후로 두 번째 눈물을 흘렸어. 니콜라스에게는 랄프 삼촌보다 뉴먼 노그스가 더 삼촌같이 따뜻한 사람이었거든. 니콜라스가 다시 편지를 접고 있는데 누군가의 기척이 느껴졌어. 전에 대문을 열어 주었던 스마이크라는 소년이었어.

그는 불가로 슬그머니 다가오려 하고 있었어. 그러다 니콜라스가 쳐다보자 겁을 내며 움츠러들었지.

“겁낼 것 없어. 추워서 그러는 거야?”

니콜라스가 물었어.

“아, 아니요.”

“떨고 있는데?”

“춥지 않아요. 원래 추위에 익숙해요.”

“이리 가까이 오렴. 많이 따뜻하지는 않지만 와서 몸 좀 녹여.”

“가, 감사합니다.”

그날 이후 스마이크는 니콜라스의 말을 잘 들었어.

스마이크는 다른 아이들보다 나이가 많았어. 거의 청년에 가까웠지. 니콜라스는 스마이크가 아주 오래전부터 두더보이즈 홀에서 지냈다는 걸 알게 되었어.

지금은 아무도 스마이크의 수업료를 내주지 않았어. 하지만 스퀴어스 부부는 그를 내쫓지 않았지. 왜냐하면 학교 주변에서 발생하는 잡다한 일을 시키기 딱 좋았거든. 부부는 한겨울에도 스마이크에게 바깥일을 시켰어. 스마이크는 열심히 일했지만 돌아오는 건 심술궂은 말과 발길질뿐이었지.

니콜라스는 학교에 있는 아이들이 모두 불쌍했지만, 그중에서도 스마이크가 가장 안쓰러웠어.

# 대탈출

어느 날 아침, 스마이크가 사라졌어. 한마디 말도 없이 두더보이즈 홀에서 도망친 거야.

스퀴어스 부부는 그를 잡으려고 서로 다른 방향에서 사방을 뒤졌어. 온종일 주변을 뒤진 끝에 스마이크를 발견한 건 스퀴어스 부인이었지. 부인은 마치 동물에게 하듯 스마이크를 수레 뒤에 묶어 놓았어.

스퀴어스 씨는 학생들을 모두 불러 모았어.

그리고 니콜라스를 포함해 모두가 보는 앞에서 스마이크를 벌주었어. 스마이크를 본보기로 만들려는 거였지.

스마이크는 지저분했어. 이미 지저분한 그의 옷에 새로운 구멍과 찢긴 자국이 더 생겨나 있었지. 그는 더러움에 얼룩진 얼굴로 공포와 추위에 이를 덜덜 떨었어.

스퀴어스 씨는 한쪽 팔로 스마이크의 팔을 꽉 잡은 채 다른 한쪽 팔로는 지팡이를 들어 올렸어.

"멈춰요!"

니콜라스가 소리치며 앞으로 튀어 나갔어.

스퀴어스 씨가 휘두른 지팡이는 니콜라스의 얼굴에 상처를 내고 말았지.

니콜라스는 그의 지팡이를 빼앗아서 그대로 교장에게 겨눴어. 더 이상 이런 학대를 견딜 수 없었던 거야.

스퀴어스 씨는 바닥에 쓰러졌고, 아이들은 놀라서 그 모습을 지켜보았어.

스퀴어스 부인이 비명을 꽥 지르며 니콜라스의 등에 주먹질을 퍼부었어.

하지만 니콜라스는 부인까지 밀쳐 버렸어.

니콜라스는 스마이크의 손을 잡고 교실을 도망치듯 빠져나왔어.

그리고 곧바로 두 사람은 끔찍한 두더보이즈 홀을 떠나 길을 나섰지.

스퀴어스 부부가 쫓아올까 봐 니콜라스는 짐도 제대로 챙기지 못했어. 더욱 안타까운 건, 불쌍한 스마이크는 지금 입고 있는 옷 말고는 챙길 짐도 없었다는 거야.

두 사람은 무척 피곤하고 배가 고팠어. 게다가 스마이크는 다리도 불편했지. 그래서 몇 날 며칠이 지나서야 런던에 도착할 수 있었어. 니콜라스는 돈이 얼마 없었지만, 간단한 음식을 사 먹고 싸구려 여관에서 잠을 잘 정도는 있었어. 방값이 너무 비싸면 하룻밤 묵을 수 있는 버려진 오두막이나 헛간을 찾을 때도 있었어.

마침내 그들은 런던의 실버 스트리트에 도착해서 뉴먼 노그스 집의 문을 두드렸어. 뉴먼은 그들을 반갑게 맞아 주었단다. 그리고 자신의 작은 방 한쪽 구석에 자리를 내주고 저녁 식사도 대접했지.

# 케이트에게 닥친 위기

니콜라스는 약속대로 랄프 삼촌이 어머니와 여동생을 잘 보살펴 주리라 믿었지만, 실제로는 그렇지 않았어.

랄프 니클비가 그들에게 살 집을 마련해 준 건 사실이야. 비록 템스강 근처에 있는, 작고 어둡고 더러운 곳이긴 했지만 말이야. 케이트에게 일자리를 소개시켜 준 것도 사실이었어. 마담 만탈리니라는 재봉사의 가게였지.

하지만 마담 만탈리니는 케이트가 젊고 아

름답다는 이유로 케이트를 질투했어. 만탈리니는 최선을 다해 케이트의 삶을 비참하게 만들었지.

니콜라스는 자기가 떠난 후 동생이 이렇게 끔찍하게 살고 있을 줄은 꿈에도 몰랐어.

스마이크와 함께 런던에 돌아온 니콜라스는 어쨌든 어머니와 동생을 다시 볼 수 있어서 너무 좋았어.

니콜라스와 스마이크가 런던에서 자리를 잡아 가는 사이, 스퀴어스 씨는 랄프 니클비에게 두더보이즈 홀에서 있었던 일을 편지로 썼어. 당연히 실제보다 훨씬 더 부풀려서 두 사람을 욕하는 내용을 담았지. 그는 심지어 니콜라스가 스퀴어스 부인의 귀금속을 훔쳐 갔다는 거짓말도 했어.

"이건 사실이 아니에요!"

니콜라스가 소리쳤어. 하지만 삼촌은 그의 말을 들으려고도 하지 않았지. 랄프는 니콜라스에게 당장 런던을 떠나지 않으면 니클비 부인과 케이트를 절대 도와주지 않겠다고 했어. 그들을 작고 더러운 집에서 내쫓고 마담 만탈리니 가게에서 일하는 케이트의 일자리까지 뺏을 거라고 했지.

니콜라스에게는 선택의 여지가 없었어.

그는 스마이크와 함께 포츠머스로 떠날 준비를 했어. 니콜라스는 두 사람이 같이 배에서 일할 수 있을 거라고 생각했어. 어쩌면 이곳에서의 끔찍한 기억을 뒤로하고 영국을 떠날 수도 있겠다 싶었지.

하지만 포츠머스에 도착하기 전 두 사람은 극단을 만났단다. 빈센트 크럼스라는 쾌활하고 덩치 큰 남자가 운영하는 극단이었지. 크럼스 씨와 그의 아내, 다른 배우들은 이 마을, 저 마을을 옮겨 다니며 연극을 했어. 크럼스의 어린 자녀들도 배역을 맡아 함께 일했어. 크럼스 씨는 늘 새로운 연기자를 찾고 있었기에 니콜라스와 스마이크에게 자기 극단에 들어오라고 했어.

니콜라스는 연기를 해 본 적이 없지만 곧 연기에 재능이 있다는 걸 알게 되었어. 그는 윌리엄 셰익스피어의 〈로미오와 줄리엣〉에서 로미오 역할을 맡았어. 스마이크도 작은 배역을 맡았고, 연기를 무척 즐겼지. 두 사람에게도 마침내 행복이 찾아온 것 같았어.

하지만 대부분의 좋은 일이 그렇듯, 그들의 행복도 빠르게 막을 내렸단다. 니콜라스는 케이트와 어머니를 지켜보고 있던 뉴먼 노그스에게 편지를 받았어. 너무 급한 일이라면서 당장 런던으로 돌아오라는 내용이었지.

불쌍한 케이트가 삼촌이 벌이는 사업에 지저분하게 휘말린 모양이었어. 랄프는 자기 조카가 아름답다는 걸 알고 있었고, 종종 고객을 끌어들이는 데 케이트의 미모를 이용하곤 했거든. 고객 중에는 젊은 귀족도 있었어.

그 귀족이 랄프에게 돈을 빌리러 올 때마다 랄프는 그에게 언젠가 케이트와 결혼할 수 있을 거라고 농담처럼 말했어. 그럴 때마다 귀족은 더 많은 돈을 빌리러 왔어. 더 많은 돈을 빌려 갈수록, 그는 더 많은 돈을 갚아야 했지. 즉, 조카 덕에 랄프는 점점 더 부자가 되어 갔다는 뜻이야.

케이트는 이 사실이 무척 속상했어. 어머니에게라도 이 사실을 털어놓고 싶었지만 그럴 수 없었어. 어머니는 랄프 삼촌이 무슨 짓을 하든 그가 제일 똑똑한 사람이라고 믿고 있었거든. 게다가 귀족 청년이 딸과 결혼하고 싶다고 찾아오자…… 부인은 그를 꽤나 마음에 들어 했어.

어디에 도움을 청해야 할지 고민하던 케이트는 뉴먼 노그스에게 삼촌과 귀족 이야기를 했어.

"걱정하지 마라, 케이트."

뉴먼은 눈물을 흘리는 케이트에게 손수건을 건네며 말했어.

"우리 함께 해결해 보자꾸나. 일단 너희 오빠에게 편지를 쓰마."

편지를 읽은 니콜라스와 스마이크는 크럼스 가족에게 서둘러 작별 인사를 하고 다시 런던을 향해 떠났어.

니콜라스는 곧장 골든 스퀘어에 있는 삼촌의 집으로 갔단다. 너무 화가 나서 예의 바르게 노크하는 것도 잊었어. 그는 진흙이 잔뜩

문은 부츠 바람으로 랄프의 사무실로 성큼성큼 걸어 들어갔지.

"케이트에게 어떻게 이럴 수 있죠? 그 애는 삼촌 조카잖아요! 삼촌 사업을 광고할 목적으로 이용하면 어떡해요?"

랄프의 얼굴이 굳었어.

“난 잘못한 게 없다. 사업은 사업일 뿐이야. 바보 같은 젊은이가 케이트를 좋아하는 게 뭐가 문제란 말이냐? 내가 생선을 시장에 내다 팔 듯 케이트를 팔기라도 했단 말이냐?”

니콜라스는 더 이상 참을 수가 없었어. 그는 삼촌에게 어머니도, 케이트도 더 이상 신경 쓰지 말라고 말했지.

그리하여 니클비 부인과 케이트는 템스강 근처에 있던 더럽고 좁은 집에서 나오게 되었어. 케이트는 일자리도 잃게 되었지.

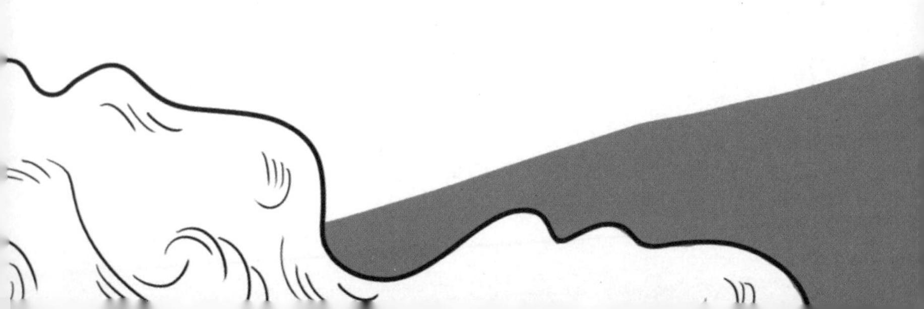

그들은 랄프 삼촌에게서 벗어나 안전해졌어. 그런데 이제 어디로 가야 하는 걸까?

# 치리블 형제

니콜라스와 그의 가족들의 삶은 완전히 바뀌었어. 물론 더 나은 쪽으로 말이야.

니콜라스는 지역 사무실 창문에 붙어 있는 구인 공고를 보고 있었어.

그 옆에서 잘 차려입은 늙은 신사 역시 창문을 뚫어져라 보고 있더군. 그는 친절하고 명랑해 보였어.

"선생님께서도 일자리를 찾고 계신가요?"

니콜라스가 물었어.

구인 공고
구인 공고
구인 공고
구인 공고
구인 공고

"나? 아니네. 하지만 자네는 일자리를 구하고 있는 것 같군."

명랑한 신사가 되물었어.

니콜라스는 그렇다고 대답했어. 신사가 워낙 친절하고 솔직해서, 니콜라스는 그와 대화하는 게 무척 편하게 느껴졌어. 찰스 치리블이라는 이름의 신사는 니콜라스에게 자기 사무실로 찾아오라고 했어.

그의 사무실은 영국은행 근처의 조용한 광장에 있었어. 사무실 문에는 '치리블 형제'라는 팻말이 붙어 있었지.

니콜라스는 찰스의 형제인 네드도 소개받았어. 두 사람은 명랑하게 웃는 얼굴을 포함한 모든 것이 똑같이 생겼어.

이 쌍둥이 형제는 몇 년 전에 런던으로 왔다고 했어.

"처음에는 우리도 너무 가난해서 신발도 없이 지냈지."

찰스가 말했어.

네드가 고개를 끄덕였어.

"하지만 지금의 우리 모습을 보게나!"

두 사람은 이렇게 성공을 거둔 게 기쁘고 놀라운 듯 보였어.

친절하지만 열심히 일하는 치리블 형제는 랄프 니클비와는 완전히 다른 사람들이었어. 그들은 심술궂지 않고 너그러웠거든. 또한 자기들이 번 돈을 자기들뿐만 아니라 다른 사람들을 위해서도 쓰고 싶어 했어. 그래서 함께 일할 새 직원이 필요했던 거야.

그들은 니콜라스에게 당장 일을 시작하자며, 가족들에게 집도 마련해 주겠다고 했어. 런던 외곽에 작은 오두막이 있으니 그곳에 니클비 가족과 스마이크가 있고 싶은 만큼 있어도 된다고 했지.

새로운 삶을 시작한 니콜라스는 행복했어. 심지어 치리블 형제의 고객인, 매들린 브레이라는 여인도 만났지. 니콜라스는 아름답고 친절한 매들린을 무척 좋아했어.

# 스마이크에게 벌어진 섬뜩한 일

치리블 형제는 니클비 가족이 살고 있는 오두막에 종종 놀러 왔단다. 그럴 때마다 그들은 조카와 함께 오곤 했어. 조카의 이름은 프랭크 치리블이었어. 프랭크 역시 삼촌들과 마찬가지로 너그럽고 솔직하며 명랑했어. 프랭크는 케이트 니클비와 점점 더 가까워졌고, 케이트도 그가 좋아졌어.

니콜라스의 가족들이 런던 외곽에서 행복하게 사는 사이, 랄프 니클비는 음모를 꾸미고 있었어. 복수를 하고 싶었던 거야.

어느 날 저녁, 니클비 가족과 스마이크는 프랭크 치리블과 함께 집에 있었어. 하늘은 점점 어두워졌고 몽글거리는 구름 사이로 달이 떠올랐지. 프랭크가 떠날 준비를 하는데, 갑자기 시끄럽게 문을 두드리는 소리가 났어.

니콜라스가 문을 열기도 전에 세 사람이 집으로 쳐들어왔어.

세 명 중 두 사람은 니콜라스가 아는 사람이었어. 랄프 삼촌과 스퀴어스였지. 하지만 세 번째, 뾰족한 코를 가진 키 작은 남자는 누군지 알 수 없었어. 누가 봐도 매정하게 생긴 사람이었지만 니콜라스가 아는 사람은 아니었어.

"여긴 무슨 일이죠?"

니콜라스가 물었어.

“아들을 아버지에게 돌려주려고 왔다.”

랄프가 스마이크를 보며 말했어.

“여기 이 신사분이 스놀리 씨다. 스마이크의 아버지지.”

스퀴어스 씨가 말했어.

니콜라스는 두더보이즈 홀에 같이 갔던 불쌍한 형제가 기억났어. 뾰족한 코의 이 남자는 그들의 아버지인 게 분명했지……. 그런데 스마이크의 아버지이기도 하다고?

스놀리 씨는 사실을 증명이라도 하듯 스마이크에게로 다가가 그의 팔을 잡으며 외쳤어.

"잡았다! 후후, 내가 잡았어! 이 애가 내 혈육입니다!"

니콜라스는 당황해서 소리쳤어.

"그럴 리 없어요."

"아니, 우리에겐 이 사실을 증명할 편지와 서류가 있어."

랄프가 말했어.

스놀리 씨가 팔을 놓자 스마이크는 절뚝거리며 친구들에게로 갔어.

"저, 저는 가고 싶지 않아요, 니콜라스."

"난 내 아들을 원해."

스놀리 씨가 말했어.

"아들이 원하는 대로 하게 두세요. 스마이크는 여기서 우리랑 지내고 싶다잖아요."

니콜라스가 말했어.

랄프, 스퀴어스 씨, 스놀리 씨는 니콜라스를 노려보았고, 니콜라스는 주먹을 꽉 쥐고 꼼짝하지 않았어.

결국 세 사람은 돌아가야만 했어. 그리고 마지막 위협의 말도 잊지 않았지.

"앞으로 조심해라, 스마이크. 조만간 잡으러 올 거다."

랄프가 말했어.

니콜라스는 스마이크를 데려가려는 랄프의 계획이 자기에게 복수하기 위한 것임을 알아차렸단다.

스마이크는 건강이 좋지 않았어. 몇 년 동안이나 학대당하고 제대로 보호받지 못해서였지. 스퀴어스를 다시 만난 충격에 스마이크는 결국 몸져눕고 말았어.

니콜라스는 케이트와 자신이 어린 시절을 보냈던 데본으로 스마이크를 데려가기로 결심했어. 평화롭고 조용한 시골에서 지내면 스마이크의 건강이 회복될 거라 믿었지.

니콜라스와 스마이크가 데본에 도착했을 때는 가을이 짙어지고 있었어. 나뭇잎은 금빛으로 물들었지만 넓은 들판은 니콜라스가 기억하는 그대로 여전히 초록빛이 무성했지.

스마이크는 시골에서의 생활이 즐거웠어. 하지만 기대했던 효과는 볼 수 없었단다. 좀처럼 건강이 나아지지 않았거든. 스마이크는 가을 낙엽처럼 서서히 시름시름 앓아 갔어. 머지않아 그는 더 이상 걸을 수 없었고, 침대에서 일어나지도 못했어. 그렇지만 니콜라스와 함께 있으니 행복했어.

두 사람은 몇 시간이고 대화를 나누며 웃고 떠들었어. 니콜라스는 끝까지 스마이크의 곁을 지켜 주었지.

스마이크가 죽자 니콜라스는 다시 런던으로 돌아왔어. 니콜라스가 자리를 비운 사이 많은 일이 있었더군.

스퀴어스 씨와 스놀리 씨는 체포되었어. 스놀리 씨가 스마이크의 아빠라는 사실을 증명하는 편지를 위조한 게 문제였지.

스퀴어스 씨가 체포되었다는 소식을 들은 두더보이즈 소년들은 모두 무척 기뻐했어. 이제 자유의 몸이 되었으니까!

그들은 제일 먼저 스퀴어스 부인에게 약을 먹였어. 매일 아침 부인이 아이들에게 억지로 먹이던 그 끔찍한 약 말이야. 그리고 요크셔 황무지에 있는 칙칙한 건물을 빠져나와 달렸어. 단 한 번도 뒤를 돌아보지 않았지.

뉴먼 노그스도 바쁘게 지냈어. 그는 스마이크의 아빠에 대한 진실을 밝혀냈지. 스마이크의 진짜 아빠는 스놀리 씨가 아니라 바로 랄프 니클비였어!

오래전 랄프 니클비는 결혼을 한 적이 있어. 가족으로부터 어마어마한 재산을 상속받을 여인과 결혼해서 부자가 될 작정이었지. 지금보다 훨씬 더 부유한 부자 말이야. 하지만 결혼 후 얼마 지나지 않아 아내는 랄프가 어떤 사람인지 알아차렸어. 그리고 아내는 잔인하고 탐욕스러운 그를 견딜 수 없었지.

결국 랄프의 아내는 임신한 몸으로 도망을 쳤단다.

그렇게 원치 않는 아기가 태어났지. 스마이크의 엄마는 스마이크를 볼 때마다 끔찍한 남편이 떠올랐고, 결국 그를 두더보이즈 홀에 보내게 된 거야.

랄프 니클비는 이 사실을 모르고 있었어. 자신이 불쌍한 스마이크의 아버지라는 사실을 꿈에도 몰랐던 거지. 뉴먼 노그스가 이 사실을 알려 주자, 랄프는 부끄러움을 느꼈어. 아마 태어나서 처음으로 느껴 보는 부끄러움이었을 거야.

랄프가 세웠던 계획은 모두 실패하고 말았어. 돈을 빌려주는 사업도 망했고, 조카에게 복수를 하겠다는 계획도 끔찍하게 어긋나 버렸어. 그가 그렇게 좋아하는 돈으로도 위로가 되지 않았지.

랄프 니클비는 절망에 빠졌어.

그는 골든 스퀘어의 저택으로 돌아갔어. 그리고 문을 잠그고 빗장을 질렀지. 커튼까지 친 다음 집 꼭대기로 올라가 다락방에 들어갔어.

그리고 먼지 가득한 다락방에서 낡은 가구와 서류들에 둘러싸인 채 썩어 가는 사과처럼 천천히 시들어 갔어.

다행히 이 비극적인 이야기에도 해피엔딩은 숨어 있어.

니클비 가족이 사랑하는 데본에 모여 살게 되었거든. 끝없이 이어진 초록 언덕과 해변이 있는 마을에서 말이야.

니콜라스가 런던을 떠난 사이, 프랭크 치리블은 케이트에게 청혼을 했고, 두 사람은 지금 행복한 결혼 생활을 즐기고 있어. 니콜라스 역시 치리블 형제의 사무실에서 일할 때 만난 친절하고 아름다운 여인 매들린 브레이와 사랑에 빠졌지.

몇 년 후, 더 놀라운 일이 벌어졌어. 니콜라스가 치리블 회사의 사업 파트너가 된 거야.

이제 회사 이름도 '치리블과 니클비'로 바뀌었지. 케이트와 프랭크, 니콜라스와 매들린은 각자 아이들도 낳았어. 뉴먼 노그스는 기꺼이 그들의 할아버지 노릇을 해 주었단다.

시간이 흐르고 가족들에게 변화가 찾아왔지만, 니콜라스는 여전히 시간을 내어 창밖으로 너른 들판을 바라보았어. 그리고 그럴 때마다 가장 친한 친구 스마이크를 기억했지.

# 찰스 디킨스

1812년 영국 포츠머스에서 태어났어요. 찰스 디킨스는 소설 속 등장인물들처럼 가난했고 힘든 어린 시절을 보냈어요. 하지만 어른이 된 그는 자신이 쓴 책으로 전 세계에 알려졌고, 그 시대 가장 중요한 작가 중 한 명으로 기억되고 있답니다.

## 루도빅 살레 그림

프랑스 출신 루도빅은 디자인 학교를 졸업하고 시각 커뮤니케이션을 공부했어요. 그리고 지금은 만화에서부터 사실적인 그림까지 다양한 스타일을 자유자재로 구사하고 있습니다. 고정관념을 벗어난 생각과 모험을 좋아하는 루도빅은 일러스트레이션, 만화, 아동서, 전시 등 새로운 프로젝트에 망설임 없이 뛰어들어 자신의 창의력을 뽐내고 싶어 합니다.

## 윤영 옮김

서울대학교 미학과를 졸업하고 같은 대학원에서 고고미술사학과를 수료했습니다. 현재는 번역 에이전시 엔터스코리아에서 번역가로 활동 중입니다. 옮긴 책으로는 〈암호 클럽〉 시리즈, 〈복면공주〉 시리즈 등이 있습니다.

# 니콜라스 니클비

초판 1쇄 발행 2023년 6월 27일

글 찰스 디킨스 | 그림 루도빅 살레 | 옮김 윤영

ISBN 979-11-6581-426-7 (74840)
ISBN 979-11-6581-418-2 (세트)

* 잘못 만들어진 책은 구입하신 곳에서 바꾸어 드립니다.

**발행처** 주식회사 스푼북 | **발행인** 박상희 | **총괄** 김남원
**편집** 김선영·박선정·김선혜·권새미 | **디자인** 조혜진·김광휘 | **마케팅** 손준연·이성호·구혜지
**출판신고** 2016년 11월 15일 제2017-000267호
**주소** (03993) 서울시 마포구 월드컵북로 6길 88-7 ky21빌딩 2층
**전화** 02-6357-0050(편집) 02-6357-0051(마케팅)
**팩스** 02-6357-0052 | **전자우편** book@spoonbook.co.kr

**제품명** 니콜라스 니클비
**제조자명** 주식회사 스푼북 | **제조국명** 대한민국 | **전화번호** 02-6357-0050
**주소** (03993) 서울시 마포구 월드컵북로6길 88-7 ky21빌딩 2층
**제조년월** 2023년 6월 27일 | **사용연령** 8세 이상
※ KC마크는 이 제품이 공통안전기준에 적합하였음을 의미합니다.

**⚠주 의**
아이들이 모서리에 다치지 않게 주의하세요.